Oisín in the

Oisín i dTír na nÓg

Declan Collinge

Illustrated by
Nicola Sedgwick

RED STAG

Published by Mentor Books Ltd
www.mentorbooks.ie

Published in 2018 by:
RED STAG
(a Mentor Books imprint)
Mentor Books Ltd
43 Furze Road
Sandyford Industrial Estate
Dublin 18
Republic of Ireland

Tel: +353 1 295 2112 / 3
Fax: +353 1 295 2114
Email: admin@mentorbooks.ie
Website: www.mentorbooks.ie

A CIP catalogue record for this title is available from the British Library.

ISBN 978-1-912514-10-6

Edited by: Nicola Sedgwick

Visit our website: www.redstag.ie
                         www.mentorbooks.ie

Fadó in Éirinn bhí Fionn Mac Cumhaill ina cheannaire ar na Fianna, buíon scanrúil laochra cróga.

Phós Fionn spéirbhean darbh ainm Sadhbh ach nuair a bhí sé imithe chun cogaidh mheall draoi mallaithe Sadhbh as dún Fhinn. Ansin rinne an draoi eilit di agus thóg leis í. Faoin am sin bhí Sadhbh ag súil le leanbh. Chuardaigh Fionn dá bhean chéile álainn i ngach ball ar feadh seacht mbliana ach níor tháinig sé riamh uirthi.

Ansin, lá amháin, nuair a bhí sé amuigh ag seilg, tháinig a mhadraí ar bhuachaill óg, timpeall seacht mbliana d'aois. Sheas siad in aice leis agus ligh siad a lámh. Thuig Fionn gurbh é a mhac an buachaill seo. Rug sé abhaile leis é agus thóg é. Ba é an t-ainm a thug sé air ná Oisín nó 'Fia Beag'.

D'fhás Oisín suas ina ógfhear breá, duine de na laochra ba chróga sna Fianna.

Long ago in Ireland Fionn Mac Cumhaill was the leader of the Fianna, a band of brave, fearsome warriors.

Fionn married a beautiful woman named Sadhbh but, when he was away at war, an evil druid tricked Sadhbh into leaving the safety of Fionn's fort. The druid then changed her into a doe and took her away. Sadhbh was expecting a baby at this time. For seven years Fionn searched everywhere for his beautiful wife but he never could find her.

Then, one day when he was out hunting, his hounds came upon a young boy, about seven years old. They stood beside him and licked his hand. Fionn realised that this boy was his son. He took him home and raised him. The name he gave his son was Oisín or 'Little Fawn'.

Oisín grew up to be a fine young man and one of the bravest warriors in the Fianna.

Lá dá raibh Fionn, a mhac Oisín agus na Fianna, ag seilg ar bhruach Loch Léin i gCill Áirne stop siad chun a scíth a ligint. Chonaic siad chucu spéirbhean ar mhuin capaill bháin. Bhí gruaig fhada fhionn uirthi agus coróin órga ar a ceann.

Labhair Fionn amach: 'Cé tusa a spéirbhean agus céard a sheol anseo go hÉirinn tú?'

D'fhreagair an spéirbhean: 'Mise Niamh Cinn Óir, iníon Rí agus Banríon Thír na nÓg. Chuala mé trácht leis na blianta ar dhealramh breá do mhic agus ar a chuid gaiscí. Thit mé i ngrá leis cé go raibh mé i bhfad uaidh. Tá súil agam go dtiocfaidh sé liom ar ais go dtí mo ríocht chun a bheith i m'fhear céile.'

One day Fionn, his son Oisín and the Fianna were hunting on the banks of Lough Leane in Killarney. They stopped to rest when they saw a beautiful young woman approaching on a white horse. She had long blonde hair and on her head she wore a golden crown.

Fionn spoke up: 'Who are you, young woman and what brings you here to Ireland?'

The woman answered: 'I am Niamh of the Golden Hair, daughter of the King and Queen of the Land of Youth. For many years I have heard of your son's handsome looks and brave deeds and I fell in love with him from afar. I hope he will now return with me to my kingdom and be my husband.'

Thug Fionn faoi deara go raibh Oisín ag féachaint ar Niamh amhail is go raibh sé faoi dhraíocht aici. Ba léir go raibh sé i ngrá léi cheana féin.

'Fillfidh mé leat, a Niamh Cinn Óir,' arsa Oisín, 'agus beidh mé i d'fhear céile ach tiocfaidh mé ar ais níos déanaí, áfach, chun tuairisc ar an tír iontach seo Tír na nÓg a thabhairt do m'athair agus do na Fianna.'

Shil Fionn deora goirte nuair a chuala an méid seo á rá ach bhí a fhios aige nach bhféadfadh sé cosc a chur ar Oisín.

D'fhág Oisín slán ag a athair agus a chairde. Suas leis ar an gcapall bán taobh thiar de Niamh. As go brách leo agus, nuair a shroich siad an cósta, d'éirigh capall draíochta Niamh den talamh go tobann. Bhí ionadh ar Oisín go raibh eitilt ag an gcapall.

Fionn noticed that Oisín was looking at Niamh as if spellbound. It was clear that he was in love with her already.

'I will come back with you, Niamh of the Golden Hair and I will be your husband,' said Oisín. 'However, I will return later to tell my father and the Fianna of this wonderful Land of Youth,' he added.

Fionn shed bitter tears when he heard this but he knew that he could not prevent Oisín from going away with Niamh.

Oisin bade farewell to his father and friends and mounted the white horse, sitting behind Niamh. They rode off, and when they reached the coast Niamh's magical horse suddenly took to the air. Oisín was amazed that the horse could fly.

D'eitil an capall thar muir agus thar tír agus b'iomaí iontas a chonaic Oisín agus Niamh ar a naistear fada go Tír na nÓg: bhí cathracha agus dúnta ann, caisleáin agus páláis thíos fúthu. Thug siad faoi deara cú ar thóir eilite agus cailín ar mhuin capaill ag scinneadh thar na tonnta. Bhí laoch óg ina diaidh ar chapall bán agus bhí claíomh órga ina ghlac aige.

Ghluais capall Niamh ar nós na gaoithe agus bhrostaigh siad leo. D'éirigh sé dorcha agus bhí sé ina ghála gártha. Dar leo go raibh an fharraige faoi thine fúthu ach, nuair a tháinig na réaltaí, amach chiúnaigh an ghaoth.

Nuair a d'éirigh an ghrian arís, i bhfad thíos fúthu, chonaic siad machairí míne Thír na nÓg

The horse flew west over the sea and Oisín and Niamh saw many wonders on their long journey to the Land of Youth. There were cities and forts, castles and palaces down below them. They saw a doe being chased by a hound and a girl on a horse skimming over the waves. A young warrior followed after her

on a white horse and he held a golden sword in his hand.

Niamh's horse moved faster than the wind as they hurried on. It grew dark and the wind howled and the sea appeared on fire below them, but when the stars came out the wind died down.

When the sun rose again, far below they saw the smooth plains of the Land of Youth.

Nuair a tháinig Niamh agus Oisín chonaic siad tír álainn faoi bhláth. Bhí pálás an rí go hálainn le dathanna éagsúla air. Bhí árais bhreátha de chlocha snasta mórthimpeall air. Tháinig céad caoga fear armtha amach chun fáiltiú rompu.

'An í seo Tír na nÓg?' arsa Oisín.

'Is í go deimhin,' arsa Niamh 'agus feicfidh tú gur fíor a bhfuil ráite agam fúithi.'

Tháinig céad cailín álainn amach chun fáilte a chur rompu. Bhí fallaing shíoda ar gach uile dhuine díobh. Ansin tháinig an rí féin amach lena ghardaí ríoga. Bhí an bhanríon ina dhiaidh le leathchéad ban coimhdeachta.

Labhair an rí: 'Fáilte romhat, a Oisín, Mhic Fhinn. Beidh saol fada agat anseo agus fanfaidh tú óg go deo. Is mise Rí Thír na nÓg agus seo í mo bhanríon álainn. Is mór agam gur thug ár n-iníon Niamh ar ais tú.'

When Niamh and Oisín arrived they saw a beautiful country in bloom. The king's palace was magnificent and brightly coloured. It was surrounded by other splendid buildings made of shining stones. One hundred armed men came out to greet them.

'Is this the Land of Youth?' asked Oisín.

'It is indeed,' said Niamh, 'and you will see all that I told you about it is true.'

One hundred beautiful girls in silk cloaks came out to welcome them and then the king himself arrived with his royal guards. The queen followed with fifty ladies-in-waiting. The king spoke.

'Welcome, Oisín, son of Fionn. Here you will live a long life and remain young forever. I am King of the Land of Youth and this is my beautiful queen. I am honoured that our daughter Niamh has brought you here.'

Ghabh Oisín buíochas leis an rí agus d'umhlaigh roimh an mbanríon. Ansin bhailigh gach duine san áras ríoga. Tháinig na huaisle go léir ag fáiltiú rompu agus bhí fleá is féasta acu don lánúin a mhair deich lá agus deich noíche. Pósadh Oisín agus Niamh ina dhiaidh sin.

Ní raibh Oisin riamh chomh sona sin ina chónaí i dTír na nÓg ag seilg an fhia agus an toirc allta agus ag iascaireacht as báid bhreátha.

Le himeacht aimsire rugadh triúr páistí d'Oisín agus Niamh – beirt mhac breátha agus iníon ghleoite. Thug Niamh Fionn agus Oscar ar a mic agus Plúr na mBan sin, 'Scoth na mBan' ar a hiníon.

Oisín thanked the king and bowed to the queen and then they all assembled at the royal house. Noblemen and noblewomen came out to greet them and a huge feast was prepared for the couple which lasted for ten days and ten nights. Then Oisín and Niamh were married.

Oisín was never happier living in the Land of Youth, hunting deer and wild boar and fishing from fine boats.

In time, three children were born to Oisín and Niamh – two fine sons and a lovely daughter. Niamh called her sons Fionn and Oscar and her daughter Plúr na mBan, meaning 'The Flower of Women'.

D'imigh trí bliana agus bhí Oisín amuigh ag siúl cois farraige, lá. Chonaic sé sleá bhriste sa mhuirchur. Chuir sé i gcuimhne dó sleánna seilge na Féinne. Tháinig cumha air i ndiaidh a bhaile.

Labhair sé le Niamh: 'Inniu smaoinigh mé ar m'athair agus mo chairde sna Fianna. Bhí an-uaigneas orm. Gheall mé dóibh go bhfillfinn ar cuairt. Anois an t-am chun é sin a dhéanamh.'

Bhí cuma bhuartha ar Niamh. 'Tá an turas abhaile an-chontúirteach go deo,' ar sise. 'Má ligim duit imeacht, geall dom go rachaidh tú ar mo chapall féin agus go bhfanfaidh tú sa diallait. Caithfidh tú a thuiscint cé chomh baolach is atá sé mura bhfanann. Impím ort, a Oisín, rud a dhéanamh orm. Níor mhaith liom riamh tú a chailliúint.

Three years passed and Oisín was out walking by the seashore one day. He saw a broken spear cast up by the tide. It reminded him of the hunting spears of the Fianna and he became very homesick.

He spoke to Niamh. 'Today I thought of my father and my friends in the Fianna. I was very lonely. I promised them that I would  return and visit. Now it is time to do so.'

Niamh looked very worried. 'The journey back is very, very dangerous,' she said. 'If I let you go you must promise me that you'll travel on my horse and never dismount. You must understand how dangerous it would be for you to dismount from my horse. I beg of you, Oisín, to do as I say. I do not ever want to lose you.'

Chuir Niamh Oisín ar a aire arís:
'Smaoinigh a Oisín, má chuireann tú cos leat
ar an talamh nach féidir leat filleadh anseo
arís go brách. Beidh tú i do sheanduine
dreoite. Is ar éigean a bheidh siúl agat. Níl
do thírse mar is cuimhin leat. Ní bheidh
d'athair ná na Fianna ann romhat. Níl ann
anois ach fir chráifeacha agus naoimh.'

Níor ghéill Oisín dá ndúirt sí.

'Dúirt mé le m'athair go bhfillfinn agus
cuirfidh mé le m'fhocal. Caithfidh mé
imeacht mar sin.'

Cúpla lá ina dhiaidh sin, ag luí na gréine,
sheas Oisín agus Niamh in aice le capall
Niamh.

Phóg Niamh Oisín agus chuaigh sé suas ar
an gcapall bán. Shil siad beirt deora agus é
ag imeacht. As go brách leis ansin thar muir
agus thar tír ar nós na gaoithe

Niamh warned Oisín again: 'Remember Oisín, if you put your foot to the ground you can never come back here again. You will become a withered old man. Your country is not as you remember it. You will not find your father or the Fianna there, only holy men and saints.'

Oisín did not believe what she said.

'I told my father I would come back and I am a man of my word so I must go.'

At sunset a few days later, Oisín and Niamh stood beside Niamh's horse.

Niamh kissed Oisín and he mounted the white horse. Both of them shed a tear as he departed. Then he was off, swift as the wind, over land and sea.

Choinnigh Oisín greim ar chapall Niamh agus iad ag scinneadh thar na tonnta. D'éirigh sé dorcha agus stoirmiúil. Cheap Oisín go dtitfeadh sé den chapall ach ba ghearr gur gheal an lá agus d'éirigh an aimsir ciúin arís. Faoi dheireadh, chonaic Oisín páirceanna glasa na hÉireann thíos faoi. Nuair a d'fhéach sé síos chonaic sé mórán séipéal agus manaigh gléasta in aibídeacha donna ach ní fhaca sé laoch ar bith.

Bhí eagla air nuair a tháinig an capall anuas ar bhóthar uaigneach. Cé go raibh tuirse air agus gur mhaith leis teacht anuas ón gcapall, ba chuimhin leis fainic Niamh. D'fhan sé sa diallait.

Oisín clung to Niamh's horse as they sped over the waves. It grew dark and stormy and Oisín feared that he would fall off the horse but soon the day dawned and the weather grew calm again. At last Oisín could see the green fields of Ireland below him. Looking down he saw many chapels and monks in brown habits but he did not see any warriors.

He was fearful as the horse landed on a lonely road. Although he was tired and wanted to get off the horse, he remembered Niamh's warning and he stayed in the saddle.

B'ionadh leis go raibh na daoine chomh
beag agus chomh tanaí sin. Ní raibh siad mór
agus láidir ar nós laochra na Féinne.

Tháinig dream fear is ban i láthair Oisín.
Bhí ionadh orthu
fear chomh mór le
hOisín a fheiceáil.

'An bhfuil a fhios
agaibh an bhfuil
Fionn Mac Cumhaill
beo fós, agus, má tá,
cá bhfuil sé?'

D'fhreagair fear
amháin: 'Chualamar trácht ar Fhionn ach
mhair sé fadó. Chualamar nach raibh duine
ar bith chomh cróga leis agus rinne na filí
cur síos ar a éachtaí. Deir daoine áirithe
go raibh mac aige agus gur imigh sé go tír
iasachta le spéirbhean.

He was surprised that the people looked so small and thin. They were not big and strong like the warriors of the Fianna.

A group of men and women approached Oisín. They were surprised to see a man so big as he.

'Do you know if Fionn Mac Cumhaill is still living and, if he is, where can I find him?' asked Oisín.

One man answered: 'We have heard of Fionn Mac Cumhaill but he lived long ago. We heard that there was none so brave as he and the poets wrote of his deeds. Some said that he had a son who went off to a strange land with a beautiful woman.'

Thuig Oisín ansin gurbh ionann na trí bliana a d'imigh i dTír na nÓg agus trí chéad bliain i ndáiríre in Éirinn. Shil sé deora agus é ag cuardach Finn agus na Féinne in aisce, ar fuaid na hÉireann.

Ansin ba chuimhin leis go raibh dún Fhinn in Almhain. Bhroid sé an capall ar aghaidh agus, faoi dheireadh, tháinig sé go hAlmhain.

Níor chreid sé dá bhfaca sé. Bhí an dún breá, a raibh cuimhne chruinn aige air, imithe chun raice. Bhí an díon ar lár agus bhí neantóga ag fás as an urlár. Bhí cága ag neadú ar leaca na bhfuinneog agus bhí téada damháin alla ar na ballaí.

Oisín then knew that the three years that had passed in the Land of Youth were really three hundred years in Ireland. He wept as he sought Fionn and the Fianna in vain, all over Ireland.

Then he remembered Fionn's fort on the Hill of Allen. He urged the horse on and at last reached the Hill of Allen.

He could not believe his eyes. The fine fort that he remembered so well was now a lonely ruin. The roof was gone and nettles grew on its floor. Jackdaws were nesting in its window ledges and spiders' webs hung from its walls.

Labhair Oisín le fear a bhí ag siúl in aice láimhe. 'Céard a tharla don dún seo?'

Chuir an cheist ionadh ar an bhfear. 'Tá sé ó rath le blianta fada, fiú in aimsir mo sheanathar. Deir daoine go raibh dún breá ann na céadta bliain ó shin. Sin a bhfuil ar eolas agamsa faoi.'

Ghabh Oisín buíochas leis an bhfear agus d'imigh leis ar dhroim an chapaill. Bhí an-bhrón air mar ní raibh aon amhras air anois go raibh Fionn agus na Fianna marbh. Bheartaigh sé ar fhilleadh ar Niamh i dTír na nÓg. Ní raibh dada in Éirinn dó a thuilleadh.

Oisín spoke to a man who was walking nearby. 'What has happened to this fort?'

The man looked puzzled.

'It's been this way for many years. It was a ruin even in my grandfather's time. They say it was a  fine fort hundreds of years ago. That is all I know.'

Oisín thanked the man and rode away. Now he was sad as he knew for sure that Fionn and the Fianna were all dead. He decided to return to Niamh in the Land of Youth. There was nothing for him in Ireland any more.

Thug Oisín aghaidh ar an gcósta. Chuaigh sé trí ghleann beag i Sléibhte Bhaile Átha Cliath feadh na slí. Bhí an-chuid smólach ag neadú ann agus, mar sin, tugadh Gleann na Smól air. Chonaic sé dream fear ag obair ann. Bhi siad ag iarraidh leac mhór a ardú ach bhí an tasc an-deacair.

Chonaic fear amháin Oisín ar mhuin an chapaill.

'Is fear mór láidir tusa. Seans go mbeadh ar do chumas cabhrú linn chun an leac seo a ardú. Bheimis an-bhuíoch díot as do chabhair. Is iomaí iarracht a rinneamar ach tá teipthe glan orainn.'

Oisín headed for the coast. On his way he rode through a small valley in the Dublin Mountains. There were many thrushes nesting there and so it was called Glenasmole, meaning the 'Valley of the Thrushes'. There he saw a group of men working. They were trying to lift up a huge standing stone but were finding it very difficult.

One man saw Oisín on the horse.

'You are a big strong man. Maybe you could help us lift this standing stone. We'd be very grateful to you for your help. We've tried many times to lift the stone but we have failed.'

Bhí trua ag Oisín do na fir. Bhí cuma an-lag orthu.

'Fág fúmsa é,' ar seisean. 'Ardóidh mé an leac gan mhoill.'

Chrom sé síos agus d'ardaigh an leac le lámh amháin ach, má rinne, bhris an giorta diallaite agus thit sé den chapall. D'fhéach sé aníos agus chonaic an capall bán ag rith leis.

Bhí meadhrán ina cheann i ndiaidh na titime agus ansin thug sé faoi deara a lámha. Dhá chrág dhreoite a bhí iontu. Bhí uafás air. Ansin thug sé faoi deara go raibh féasóg fhada liath air.

Scread sé amach de ghlór toll: 'Fóir orm, má 'sé bhur dtoil é, ní féidir liom éirí.'

Oisín took pity on the men. They looked very frail indeed.

'Leave it to me,' he said. 'I'll lift the standing stone in no time.'

He leaned over and, with one hand, raised the stone but, as he did, the saddle girth broke and he fell to the ground. He looked up and saw the white horse bolting off.

He was feeling dizzy from the fall and looked down at his hands. They had become two withered claws. He was horrified. Then he noticed that his beard had grown long and grey.

He called out in a hoarse voice: 'Please help me, I cannot get up.'

Stán na fir air le hiontas. In ionad fir óig láidir ar an talamh rompu, chonaic siad seanduine an-dreoite.

D'ardaigh na fir ina sheasamh é.

D'ardaigh na fir Oisín ina sheasamh.

'Moladh dom gan teacht anuas ón gcapall sin, ach anois, ó theagmhaigh mé leis an talamh, tá mé breis is trí chéad bliain d'aois.'

Bheartaigh na fir ar Oisín a thabhairt go dtí mainistir in aice láimhe, áit a dtabharfadh na manaigh aire dó. D'ardaigh siad suas agus d'iompar é. Níorbh fhada gur shroich siad an mhainistir. Thóg na manaigh isteach é.

The men looked on in amazement. There, lying on the ground, instead of a strong young man they saw an extremely old, withered man.

The men helped Oisín to his feet.

He spoke weakly to them.

'I was told not to get off that horse but, now that I have touched the ground, I am over three hundred years old.'

The men decided to bring Oisín to a nearby monastery where he would be looked after by the monks. They lifted him up and carried him and, before long, they reached the monastery. The monks took him inside.

Tugadh béile maith agus leaba chompordach d'Oisín. Chuala sé na manaigh ag guí agus ag canadh iomann, thíos. Bhí mearbhall air mar níorbh eol dó riamh ach canadh na Féinne i ndiaidh catha buaigh nó seilge rathúla.

Chuimhnigh sé ar Niamh, a thriúr páistí agus ar Thír álainn na nÓg. Ba mhairg a d'fhill sé riamh ar Éirinn.

An lá dar gcionn, tar éis a bhricfeasta, dúirt na manaigh leis go mbeadh fear an-cháiliúil agus an-chráifeach ag teacht go dtí an mhainistir. Ba é sin Naomh Pádraig, Mac Calprainn. Bhí seisean ag imeacht ar fuaid na tíre ag baisteadh agus ag tógáil eaglaisí.

Oisín was given a meal and shown to a comfortable bed. He heard the monks praying and singing hymns below. He was confused as he had only ever known the singing of the Fianna after a victorious battle or successful hunt.

Oisín thought of Niamh, his three children and the beautiful Land of Youth. He was sorry that he had ever travelled back to Ireland.

The following day, after his breakfast, the monks told him that a very famous and holy man was coming to the monastery. This was Saint Patrick, the son of Calprann. He had been travelling all over the country baptising people and building churches.

Tháinig Naomh Pádraig lá arna mhárnach. Seanduine ba ea é ar nós Oisín. Chuir sé an-suim in Oisín agus sa scéal iontach a d'inis sé.

Tar éis dó labhairt le hOisín dúirt Pádraig go raibh sé ag dul isteach sa séipéal chun a phaidreacha a rá. D'fhan Oisín ina sheomra mar níor thuig sé conas paidreacha a rá. D'fhill Pádraig ansin agus d'iarr ar Oisín cur síos a dhéanamh ar an saol in Éirinn na céadta bliain roimhe sin. Bhí suim aige sna Fianna agus a gcuid éachtaí ach go háirithe.

'Beidh mé ag taisteal ar fuaid na tíre amárach,' ar seisean, 'tar liomsa a Oisín agus inis dom faoi na daoine agus na háiteanna go léir le do chuimhne.'

Saint Patrick arrived the next day. He was a very elderly man like Oisín. He was very interested in Oisín and the amazing story that he told.

After talking to him for a while Patrick said that he was going into the church to say his prayers. Oisín stayed in his room because he did not understand how to pray. Patrick returned then and asked Oisín to tell him about life in Ireland hundreds of years ago. He especially wanted to know about the Fianna and their brave deeds.

'I will be travelling around the country soon,' he said. 'Come with me, Oisín, and tell me about all the people and places as you remember them.'

'Ní fada a mhairfidh mé, a Phádraig,' arsa Oisín, 'tá mé an-sean, tuirseach agus dall, nach mór. Bíodh foighne agat fiú má's aisteach mo scéal agus deacair a chreidiúint.'

Dúirt Pádraig é a glacadh go réidh agus sos a thógáil dá mbeadh tuirse air.

Tháinig seisear manach óg i dteannta leo agus thaistil an bheirt sheanfhear i gcóiste capaill. Bheannaigh Naomh Pádraig na daoine agus iad ag gabháil thar bráid agus bhí Oisín ag féachaint air le hiontas gan a fhios aige go baileach céard a bhí ar siúl ag an naomh.

Bhí manach óg ina scríobhaí. Thóg sé nótaí ar chomhrá Oisín agus Naomh Pádraig. Ghlaofadh sé 'Agallamh na Seanórach' air siúd.

'My time is not long, Patrick,' said Oisín, 'I am very old, tired and almost blind. You must be patient with me even if my story is strange and hard to believe.'

Patrick told Oisín to take his time and to rest if he became tired.

Six young monks came with them on their journey and the two old men travelled by horse and cart. Saint Patrick blessed the people as they passed and Oisín looked on, wondering exactly what the old saint was doing.

One young monk, who was a scribe, took notes and wrote down the conversations between Oisín and Saint Patrick. He would call this 'The Conversation of the Elders.'

Nuair a d'fhill an capall go Tír na nÓg gan Oisín, bhí an-imní ar Niamh. Thuig sí go raibh rud éigean bun os cionn. Bheartaigh sí féin ar imeacht go hÉirinn chun a fháil amach céard a tharla. Ba mhian léi Oisín a thabhairt ar ais dá mbeadh sé beo fós.

D'fhág sí na páistí leis an rí agus an mbanríon agus bhuail sí amach ar a haistear fada. Ní túisce in Éirinn di ná gur chuardaigh sí dá fear céile ach ní raibh tásc ná tuairisc air. Ansin rinne an capall a bhealach siar go Gleann na Smól. Ba ansin a d'inis na fir a chonaic Oisín ag titim den chapall ar tharla dó.

Ó bhí a fhios aice nach mairfeadh Oisín i bhfad eile d'fhill sí ar Thír na nÓg. Bhí a croí briste.

When the white horse returned to the Land of Youth without Oisín, Niamh was very worried. She knew that something was wrong. She decided to travel to Ireland herself and try to find out what had happened. She hoped to bring Oisín back if he was still alive.

She left her children with the king and queen and set out on her long journey. Once in Ireland, she looked for her husband but could find no trace of him. Then her horse made its way back to Glenasmole. There the men who had seen Oisín fall off the horse told her all that had happened.

Since she knew Oisín would not live very long now she returned broken-hearted to the Land of Youth.

Bhí Pádraig ag iarraidh Oisín a bhaisteadh ach chuir Oisín ina choinne. Rinne Pádraig iarracht a insint dó mar gheall ar an gCreideamh Críostaí ach, dar le hOisín, go raibh an seansaol, le Fionn agus na Fianna, i bhfad níos sona.

Nuair a luaigh Pádraig ceol na manach ag canadh na salm, dúirt Oisín gur chuala sé ceol ba bhinne in aimsir na Féinne: ceol an loin, tafann na madraí seilge agus búir an fhia.

Ba mhinic argóint idir an dá chara agus, cé go raibh Oisín in ísle brí, bhí sé ceanndána agus ceanntréan go lá a bháis.

Patrick wanted to baptise Oisín but Oisín did not want to be baptised. Patrick tried to teach him about the Christian faith but Oisín thought that the old world of Fionn and the Fianna was a much happier world.

When Patrick spoke of the music of the monks singing the psalms, Oisín said that he had heard far more beautiful music in the time of the Fianna: the song of the blackbird, the barking of the hunting hounds and the belling of the stag.

The two friends argued often and although Oisín was a very frail old man, he remained stubborn and strong-willed until the end of his days.

Other books in the
FADÓ IRISH LEGEND SERIES